À la famille et aux amis des jeunes lecteurs :

L'apprentissage de la lecture est une étape cruciale dans la vie de votre enfant. Apprendre à lire est difficile, mais la série *Je peux lire!* est conçue pour rendre cette étape plus facile.

Tout comme l'apprentissage d'un sport ou d'un instrument de musique, la lecture requiert d'exercer souvent ses capacités. Mais pour soutenir l'intérêt et la motivation de l'enfant, il faut le faire participer au sport ou lui faire découvrir l'expérience de la « vraie » musique. La série *Je peux lire!* est conçue de manière à fournir le niveau de lecture approprié et propose des histoires intéressantes qui rendent la lecture stimulante.

Quelques conseils :

- La lecture commence avec l'alphabet et, au tout début, vous devriez aider votre enfant à reconnaître les sons des lettres dans les mots et les sons que font les mots. Avec les lecteurs plus expérimentés, mettez l'accent sur la manière dont les mots sont épelés. Faites-en un jeu!

- Ne vous arrêtez pas au livre. Parlez avec l'enfant de l'histoire, comparez-la à d'autres histoires et demandez-lui pourquoi elle lui a plu.

- Vérifiez si votre enfant a bien compris l'histoire. Demandez-lui de la raconter ou posez-lui des questions sur l'histoire.

C'est aussi l'âge où l'enfant apprend à monter à bicyclette. Au début, pour faciliter les choses, vous posez des roues stabilisatrices et vous tenez la selle pour le guider. De même, la série *Je peux lire!* peut être utilisée comme outil pour vous aider à guider votre enfant et à en faire un lecteur compétent.

Francie Alexander,
spécialiste en lecture
Groupe des publications
éducatives de Scholastic

Pour mes parents
— K.H.

Catalogage avant publication de Bibliothèque
et Archives Canada

Hall, Kirsten

Un peu de thé? / Kirsten Hall; illustrations de
Dee deRosa; texte français de Louise Binette.

(Je peux lire! Niveau 1)

Traduction de : Our Tea Party.

Pour enfants de 3 à 6 ans.

ISBN 0-439-96241-2

I. DeRosa, Dee II. Binette, Louise III. Titre. IV.
Collection.

PZ23.H3385Pe 2004   j813'.54   C2004-902766-2

Édition publiée par les Éditions Scholastic,
175 Hillmount Road, Markham (Ontario) L6C 1Z7.

5 4 3 2 1   Imprimé au Canada   04 05 06 07

Un peu de thé?

Kirsten Hall

Illustrations de Dee deRosa

Texte français de Louise Binette

Je peux lire! – Niveau 1

Éditions
SCHOLASTIC

Aujourd'hui, j'ai envie de m'amuser!

Si on prenait le thé?

Dressons d'abord la table.

Du thé pour moi...

Du thé pour madame!

Un soupçon de miel...

Quelques cuillères…

Sans oublier les biscuits de maman!

Le goûter est servi!

Venez, par ici!

Nous prenons le thé entre amis!

Tout bien réfléchi

Que font les garçons pendant que
la fille prépare le goûter?

Que font les garçons à la fin de
l'histoire?

Les deux font la paire

Associe chaque mot de la colonne
de gauche à l'illustration correspondante
dans la colonne de droite.

abeille

lune

lapin

soleil

À l'heure du thé

Montre les objets qu'on pourrait utiliser
à l'heure du thé.

Montre ensuite ceux qu'on n'utiliserait pas
à l'heure du thé.

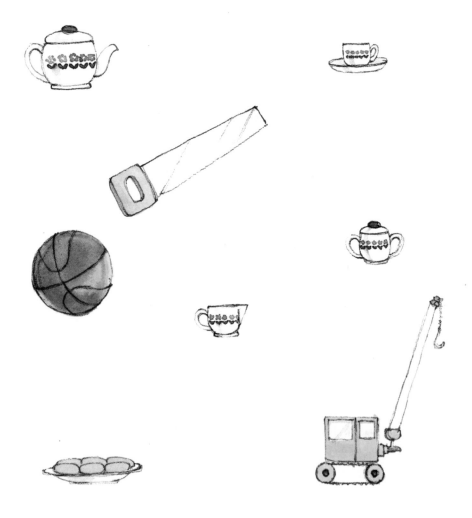

Qu'en penses-tu?

Quelles choses pourraient réellement se produire?
Lesquelles sont impossibles?

Le garçon mange un biscuit.

L'ours en peluche mange
du miel.

La fillette se réveille le matin.

Le chien saisit une tasse
avec sa patte.

Question de goût

Trouve quelque chose de sucré et croquant.

Trouve quelque chose de sur.

Trouve quelque chose de sucré et collant.

Trouve quelque chose de salé.

Trouve quelque chose de mouillé et chaud.

Les préparatifs

Si tu préparais un goûter…

Qui inviterais-tu?

Où s'assoiraient tes invités?

Que servirais-tu à boire et à manger?

Qui nettoierait tout, une fois le goûter
terminé?

Réponses

(Tout bien réfléchi)

Les réponses peuvent varier.

(Les deux font la paire)

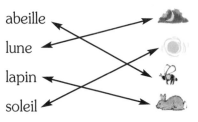

abeille

lune

lapin

soleil

(À l'heure du goûter)

Tu pourrais utiliser :

Tu n'utiliserais pas :

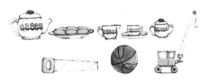

(Qu'en penses-tu?)

Ces choses pourraient réellement se produire :

Le garçon mange un biscuit.

La fillette se réveille le matin.

Ces choses sont impossibles :

L'ours en peluche mange du miel.

Le chien saisit une tasse avec sa patte.

(Question de goût)

sont sucrés et croquants.

est sur.

est sucré et collant.

sont salés.

est mouillé et chaud.